ZE SLIEPEN NOG

ANDERE KINDERBOEKEN VAN TOON TELLEGEN

–Theo Thijssenprijs 1997–

* *Er ging geen dag voorbij* (1984)
* *Toen niemand iets te doen had* (1987) Gouden Griffel 1988
Langzaam, zo snel als zij konden (1989) Zilveren Griffel 1990
Het feest op de maan – samen met Mance Post (1990)
Misschien waren zij nergens (1991)
* *Juffrouw Kachel* (1991) Libris Woutertje Pieterse Prijs 1992, Zilveren
    Penseel 1992 voor de illustraties van Harrie Geelen
* *Jannes* – samen met Peter Vos (1993) Zilveren Griffel 1994
* *Bijna iedereen kon omvallen* (1993) Libris Woutertje Pieterse Prijs
    1994, Gouden Griffel 1994
* *Mijn vader* (1994)
Misschien wisten zij alles. 313 verhalen over de eekhoorn en de andere
    dieren (1995, 1999)
De verjaardag van de eekhoorn (1995) Gouden Penseel 1996 voor de
    tekeningen van Geerten Ten Bosch
De ontdekking van de honing (1996)
Brieven aan niemand anders (1996)
Teunis – samen met Jan Jutte (1996) Zilveren Griffel 1997
Dokter Deter (1997)
De verjaardag van alle anderen (1998) Zilveren Griffel 1999
De genezing van de krekel (1999) Gouden Uil 2000
Er ligt een appel op een schaal (keuze uit de gedichten, 1999)

* JeugdSalamander

Toon Tellegen
Ze sliepen nog
MET TEKENINGEN VAN
Mance Post

Amsterdam Antwerpen
Em. Querido's Uitgeverij B.V.
2000

DE EEKHOORN KON NIET SLAPEN. HIJ LIEP VAN ZIJN DEUR om zijn tafel heen naar zijn kast, bleef daar even staan, aarzelde of hij de kast zou opendoen, deed hem niet open, liep langs de andere kant van de tafel naar de deur en begon opnieuw.

Misschien loop ik zo wel door tot het ochtend wordt, dacht hij. Want erg moe of slaperig werd hij niet.

Maar plotseling hoorde hij stemmen buiten, in het donker. Hij kende die stemmen niet. Hij hield zijn oor tegen de muur.

Hij kon de stemmen bijna verstaan. Ze hadden het over hem.

'Hier woont de eekhoorn.'

'O ja?'

'Ja.'

'Wat is dat eigenlijk voor iemand?'

'De eekhoorn?'

'Ja.'

'Tja... Als ik je dat vertel... Hoe moet ik het zeggen... Hij is heel erg schmwlfgrstkpl.'

'Wat?' had de eekhoorn willen roepen. Maar hij hield zich nog net op tijd in.

'Schmwlfgrstkpl?' zei de ene stem.

'Ja,' zei de ander.

'Ach, wat vind ik dát interessant. Is hij dat altijd?'

'Bijna altijd.'

'En als hij dat niet is?'

'Dan is hij tnlkrpsrt.'

'Dat geloof ik niet!'

'Het is echt waar!'

'Ach...!'

De eekhoorn wilde zijn oor wel door de muur heen duwen. Hij kon nét niet verstaan wat hij bijna altijd was en wat een enkele keer.

'Ik vind dat ongelooflijk,' zei de ene stem.

'Dat is het ook,' zei de ander.

'En hij woont hier?'

'Ja.'

Even was het stil.

'Ja, schud je hoofd maar,' zei de een.

'Ach, ach...' zei de ander.

De eekhoorn viel nu bijna om. De tranen sprongen in zijn ogen. Waarom spraken ze ook niet duidelijker? En wie waren ze eigenlijk? Wat deden ze daar, middenin de nacht?

Toen hoorde hij de stemmen wegsterven. Brzt, hoorde hij nog. En knklpr. En toen niets meer.

Hij ging op bed liggen, op zijn rug, en keek naar zijn plafond. Lange tijd dacht hij na over wat hij was. Ik ben nu in elk geval heel verdrietig, dacht hij. Als ik nu met mijzelf over mijzelf zou praten zou ik zeggen: ik vind de eekhoorn heel verdrietig. Ja, zou ik antwoorden, ik ook.

Plotseling schoot hij overeind. Dat is waar ook, dacht hij.

Hij sprong uit zijn bed en liep naar zijn kast. Hij trok een la open. Daarin lag een klein briefje, met kleine kriebelige letters geschreven, dat hij langgeleden eens onder zijn deur had gevonden:

Beste eekhoorn,
Ik vind jou heel bijzonder,
heel heel bijzonder.

Er stond geen naam onder. Onder de laatste zin was het briefje afgescheurd. De eekhoorn had er lang over nagedacht wie dat briefje aan hem gestuurd kon hebben. Maar hij was daar nooit achter gekomen.

Hij gooide zijn raam open. De maan scheen laag tussen de takken van de beuk door en de eekhoorn las het briefje zo hard mogelijk op.

Het was stil buiten. Een paar sterren flonkerden.

Misschien horen ze me nog, dacht hij, en zeggen ze tegen elkaar: ja, dat is waar, hij is altijd heel heel bijzonder...

Toen deed hij het raam dicht en stapte weer in bed.

6

GEACHTE EEKHOORN,
Ik vernam onlangs langs schriftelijke weg
dat u niet kunt slapen.
Dat is zeer onaangenaam, dat weet ik.
Persoonlijk schrijf ik mijzelf altijd in slaap.
Misschien dat u dat ook eens kunt proberen,
verre pennenvriend. (Zo mag ik u toch wel
noemen? Zo niet, dan bied ik u mijn excuses
aan voor deze schriftelijke vrijmoedigheid.
Ik lijd trouwens aan talrijke schriftelijke
kwalen en hebbelijkheden. Maar daarover
schrijf ik u later eens uitvoeriger, als u mij
toestaat.)
Ik schrijf in het algemeen het volgende:
ach ja ik schrijf maar wat laat ik maar
wat schrijven ik schrijf maar raak hoe
schrijf ik ook alweer laat ik maar door
ik bedoel ik schrijf maar door schrijf zo
maar zachtjes altijd maar door schrijf
ik zo maar zzzzzzoooooo maar zzzz
zzz

Meer stond er niet in de brief die de eekhoorn op een avond kreeg.
Hij maakte hem open en begon te lezen. Maar voor hij hem uit had
sliep hij al, met de brief onder zijn hoofd op de tafel.

De wind stak op, begon te gieren en te loeien, rukte de brief los
en blies hem door de deur weg.

Maar soms is de wind nieuwsgierig, en halverwege de lucht las
hij de brief.

Hij ging meteen liggen.

Het werd heel stil in het bos. De brief dwarrelde door de lucht
en viel in de rivier, waar de karper hem las.

Toen de karper sliep dreef de brief naar zee. Daar lazen de dol-
fijn en de potvis en de walvis hem, en daarna alle andere vissen en
de vogels die op het water zaten, en de dieren die daar toevallig een

eindje rondzwommen, zomaar, voor hun plezier.

Tot aan de verste stranden van de oceaan viel iedereen in slaap die de brief van de secretarisvogel las, op een avond in de zomer.

D<small>E ZON KWAM OP EN DE KREKEL ZAT IN HET GRAS, AAN DE</small> rand van het bos.

Hij had geslapen en wreef zijn ogen uit.

Er lag dauw op het gras en in de struik weefde de spin een klein, glinsterend web.

De krekel keek naar de horizon, waar juist iets roods bovenuit kwam. Zou dat de zon zijn? dacht hij. Of zou het misschien iets anders zijn?

Verontrust keek hij naar het grote rode ding dat langzaam groter werd. Hij fronste zijn wenkbrauwen en liep langs het bos. Na een tijd kwam hij de tor tegen.

'Dag tor,' zei de krekel.

'Dag krekel,' zei de tor.

'Weet jij misschien wat daar omhoogklimt?' vroeg de krekel en hij wees naar de horizon.

'Dat is de zon,' zei de tor.

'De zon...' zei de krekel. 'Weet je dat zeker? Twijfel je niet?'

De tor aarzelde even. 'Het is de zon,' zei hij. 'Tenminste...'

De krekel sprong de lucht in.

'Je twijfelt! Je twijfelt!' riep hij. 'En ik twijfelde ook al! We twijfelen dus allebei! Dan is het vast iets anders!'

Toen de schildpad even later ook twijfelde, wist de krekel het zeker: het was niet de zon, maar iets anders wat in de verte langzaam boven de bomen uit klom. Want als het de zon wel was dan zou niemand twijfelen, dat wist hij zeker.

Met grote passen liep hij door het bos.

'Dat is de zon niet,' zei hij tegen iedereen die hij tegenkwam, terwijl hij naar het ding in de hemel wees, dat steeds hoger klom.

'O nee?' zeiden de dieren.

'Nee,' zei de krekel. 'Wat het wel is weet ik niet. Maar het is niet de zon. Dat is zeker.'

Verbaasd bleven de dieren staan en keken de lucht in. Het onbekende ding scheen en was warm en oogverblindend. Maar dat kon toeval zijn, meende de kever. Of tijdelijk, zei de otter. Met onbekende dingen weet je zoiets nooit.

Tegen het eind van de middag wist iedereen dat de zon niet scheen die dag, maar iets anders. Zelfs de aardworm en de mol, diep onder de grond, wisten het, en het vuurvliegje in het struikgewas, en de inktvis op de bodem van de zee.

'Hè, hè,' zei de aardworm tegen de mol. 'Eindelijk eens iets anders in de lucht.'

'Ik hoop wel dat het zwart is,' zei de mol. Maar toen hij nieuwsgierig zijn hoofd boven de grond uitstak zag hij niets zwarts hangen, maar iets groots en schels, en trok hij snel zijn hoofd weer terug.

'Het is geen verbetering,' zei hij tegen de aardworm.

'Nee,' zei de aardworm. Op verbeteringen rekende hij nooit.

Tegen de avond ging het onbekende ding onder en werd het schemerig in het bos. 'Het is wel gewone schemering,' zeiden de dieren tegen elkaar. Ze waren het daar allemaal over eens.

Aan de rand van het bos trok de krekel een grasspriet over zich heen en dacht: ik ben heel benieuwd wat er morgen opkomt. Hij fronste zijn wenkbrauwen en dacht: áls er iets opkomt...

Maar toen hij de volgende ochtend wakker werd kwam de zon net boven de horizon uit. De krekel keek en zag dat het de zon was. Daar is geen twijfel aan! dacht hij. Hij maakte een paar vrolijke sprongen in het zachte ochtendlicht. Ik heb trouwens genoeg van twijfelen, dacht hij en hij nam zich voor nooit meer te twijfelen, wat er ook vanachter de horizon tevoorschijn kwam.

Hij holde langs het bos en riep: 'De zon! De zon!' en wees hem iedereen die wakker werd aan.

'Ja,' zeiden de dieren opgelucht. 'Het is de zon.'

Ze gingen in het gras onder de bomen liggen of in het struikgewas zitten en lieten de zon op zich schijnen of vielen in slaap van louter tevredenheid.

DE GLOEIWORM LAG IN HET DONKER OP EEN TAK VAN DE beuk. Zijn lichtje gloeide.

Zo kan ik niet slapen, dacht hij. Hij schudde zijn hoofd. Misschien moet ik mijn lichtje uitdoen, dacht hij even later. Maar als hij zijn lichtje uitdeed kon hij niet zien hoe hij lag en hij wilde altijd kunnen zien hoe hij lag. Want misschien lag hij niet goed. Dat zou kunnen, dacht hij. Dat zou altijd kunnen. Wat ben ik toch ingewikkeld! dacht hij af en toe ook, tussen zijn andere gedachten door.

Na een tijdje kwam de nachtvlinder langs.

'Nachtvlinder,' zei de gloeiworm, 'als ik mijn lichtje uitdoe let jij dan op hoe ik lig?'

'Dat is goed,' zei de nachtvlinder.

De gloeiworm deed zijn lichtje uit en viel in slaap.

Middenin de nacht werd hij wakker.

'Lig ik goed?' vroeg hij.

Maar de nachtvlinder was rusteloos geworden en weggevlogen.

De gloeiworm deed zijn lichtje aan, keek of hij goed lag, deed zijn lichtje uit, draaide zich op zijn zij, deed zijn lichtje weer aan om te zien hoe hij nu lag, deed zijn lichtje weer uit en sliep niet.

De zon kwam op.

Nu is mijn lichtje overbodig, dacht de gloeiworm opgelucht. Hij deed zijn lichtje uit, rolde zich op en viel in slaap.

De hele dag sliep hij, want hij wist dat hij altijd meteen zou kunnen zien of hij goed lag. Daar gaat het om, droomde hij en hij knikte in zijn droom tegen zichzelf.

Soms noemde hij zich de ingewikkelde gloeiworm. Maar toen hij dat op een keer tegen de tor had gezegd: 'Dag tor, ik ben de ingewikkelde gloeiworm', had de tor teruggezegd: 'Dag ingewikkelde gloeiworm, ik ben de halsstarrige tor', en hadden ze elkaar verbaasd aangekeken. Toen was alles nog veel ingewikkelder geworden dan het al was en had de gloeiworm gedacht: misschien ben ik wel de zeer, zeer ingewikkelde gloeiworm. Maar hij had dat niet gezegd, want dan was de tor misschien wel de zeer, zeer halsstarrige tor geworden of iets anders wat nóg veel ingewikkelder was.

Midden op de dag in het midden van zijn slaap zuchtte de gloeiworm.

MIDDENIN DE OCEAAN KWAMEN DE POTVIS EN DE WALVIS elkaar tegen.

'Dag potvis,' zei de walvis.

'Dag walvis,' zei de potvis.

Ze knikten naar elkaar en wisten niet goed wat ze moesten zeggen.

'Ik kan niet slapen,' zei de potvis na een tijdje. 'Ik zwem maar wat heen en weer.'

'Zal ik een eindje met je meezwemmen?' vroeg de walvis.

'Dat is goed,' zei de potvis.

Ze zwommen samen door de oceaan.

De potvis vertelde dat hij nooit kon slapen. Hij kon zich zelfs niet meer herinneren wanneer hij voor het laatst geslapen had. Reusachtige tranen rolden langs zijn grijze wangen in het zoute water van de oceaan.

De walvis schudde zijn hoofd en vertelde dat als hij niet kon slapen hij iets bedacht waarvan hij heel graag wilde dromen. Hij had dat zelf uitgevonden.

'O ja?' zei de potvis en hij keek de walvis met grote ogen aan.

'Ja,' zei de walvis. 'En dan val ik zo snel mogelijk in slaap om het te dromen. Dat is heel handig.'

'O,' zei de potvis.

'Dat moet je ook eens proberen, potvis.'

'Ja,' zei de potvis onzeker.

'Waar wil je heel graag van dromen?'

'Nou...' zei de potvis. Hij dacht even na. 'Eigenlijk,' zei hij toen, 'zou ik heel graag eens dromen dat ik een blauwe hoed had, niet een heel grote, maar wel een echte blauwe hoed, en dat ik in de rivier onder de wilg lag, in de schaduw, met mijn hoed op, en iedereen kwam langs, boog over het water en zei: "Wat een mooie hoed, potvis!" en ik knikte en zei: "Ja, dat is mijn hoed."'

Hij zweeg en keek dromerig over het water van de oceaan. 'Dat is alles,' zei hij zacht.

'Welterusten,' zei de walvis.

De potvis viel meteen in slaap en droomde dat hij in de rivier onder de wilg lag, in de schaduw, met zijn blauwe hoed op, en alle dieren hadden rode hoeden, de schildpad, de krekel, de egel, de eekhoorn, die ze met een buiging afnamen voor hem.

'Dag potvis,' zeiden ze. 'Wat een prachtige blauwe hoed heb jij!'

'Dag krekel' en 'Dag egel' en 'Dag eekhoorn,' zei de potvis en hij nam verlegen telkens even zijn hoed af voor iedereen.

Zo lag hij daar, terwijl de zon achter de wilg scheen en de zoute geur van algentaart door het bos kringelde.

De walvis zag een tevreden glimlach op het gezicht van de potvis en zwom verder.

Waar zal ík eens van gaan dromen? dacht hij en hij bedacht iets zo moois dat hij meteen in slaap viel en langzaam dromend over de hele oceaan heen naar huis toe dreef.

Aan de andere kant van de woestijn woonde de lemuur.

Hij woonde daar afgelegen en alleen. Er was nog nooit iemand bij hem langsgekomen. Maar dat zegt niets, zei hij elke avond tegen zichzelf, dat zegt helemaal niets.

Hij zat altijd op de uitkijk of er misschien in de verte iemand aan zou komen. En hij durfde nooit te slapen, want misschien zou er dan net iemand langskomen, die onverrichterzake verder zou gaan.

Soms was hij zo moe dat hij toch even in slaap viel. Dan schrok hij wakker, sprong overeind, keek in het rond en riep: 'Was er toevallig iemand? Hallo! Ik ben wakker!'

Maar er was nooit iemand en opgelucht ging hij weer zitten.

Op een dag was hij weer in slaap gevallen. Het was middenin de zomer en de zon stond groot en gloeiend hoog aan de hemel.

Toen de lemuur na korte tijd wakker schrok lag er een briefje naast hem:

Beste lemuur,
Ik kwam even langs. Maar je sliep.
Hartelijke groeten.
De eekhoorn

De lemuur sprong omhoog, keek naar alle kanten en riep: 'Eekhoorn! Eekhoorn!' Maar er was geen spoor van de eekhoorn meer te bekennen.

Toen trok de lemuur een voor een de haren uit zijn hoofd, stampte met zijn voeten op de grond en krijste net zo lang tot hij schor was.

'Nu slaap ik nooit meer,' riep hij. 'Nooit meer.'

Hij gooide zijn stoel weg en zat alleen nog op puntige stenen. Hij at bedorven brandnetels waar hij zo'n buikpijn van kreeg dat hij er niet eens van had kunnen slapen. En hij zei dag en nacht tegen zichzelf: 'Ik ben klaarwakker, lemuur, klaar-klaarwakker.'

Toch werd hij zo moe dat hij op een dag weer in slaap viel. Zijn buik brandde, de puntige stekels staken in zijn rug en hij mompelde nog: 'ik ben klaar-klaar-klaar-klaarwakker.' Maar hij sliep en snurkte luid.

Het was maar heel even geweest, maar hij vloog overeind en gaf zichzelf een enorme draai om zijn oren. 'Luilak!' riep hij.

Toen zag hij dat er weer een briefje naast hem lag.

Beste lemuur,
Je sliep weer. Slaap je soms altijd?
Ik weet niet of ik nog eens langskom.
De eekhoorn

De lemuur werd spierwit en even kon hij geen geluid uitbrengen. Alsof een dikke hand zijn keel dichtkneep en hem optilde en in stilte liet spartelen.

Toen sprong hij zo hoog als hij nog nooit had gesprongen. Heel in de verte zag hij nog net het puntje van de staart van de eekhoorn, die juist achter een rots verdween.

'Eekhoorn!' gilde hij. 'Eekhoorn!'

De eekhoorn hoorde hem nog net. Hij keek om en zag de lemuur.

'Ik ben wakker!' riep de lemuur. 'Wakker!'

Even later zaten ze tegenover elkaar. De eekhoorn zat op de oude stoel van de lemuur en de lemuur haalde een potje met iets zoets tevoorschijn, dat hij altijd al had.

'Je bent mijn eerste voorbijganger, eekhoorn,' zei hij.

'Ik dacht echt dat je sliep,' zei de eekhoorn.

Ze aten het potje leeg en spraken over van alles.

'Dit is mijn eerste gesprek,' zei de lemuur zachtjes. 'Weet je wat ik nu ben?'

'Nee,' zei de eekhoorn.

'Blij,' zei de lemuur. 'Heel blij.'

'Kom,' zei de eekhoorn, toen de zon achter de woestijn zakte en de hele hemel rood werd. 'Ik ga weer eens. Dag lemuur.'

'Dag eekhoorn,' zei de lemuur.

Op zijn tenen staand zag de lemuur de eekhoorn in de verte achter een rots verdwijnen. Toen ging hij liggen en viel in slaap.

AAN DE RAND VAN HET BOS IN EEN GAT IN DE ESP HAD DE uil een winkeltje waar hij slaapbenodigdheden verkocht.

Hij had veren kussens, kleine groene dekens van mos, zakjes met zacht gesnurk, dozen met loomheid en lodderigheid, kisten vol gegeeuw en dikke mutsen om over ogen te trekken.

Hij gaf ook graag uitleg over slapen.

Maar veel klanten had hij niet. Want meestal sliep hij zelf, en soms liet hij een klant zien hoe men het beste kon slapen en sliep dan uren door zodat zijn klant maar weer vertrok.

Veel klanten vielen al in slaap als ze het winkeltje zagen of de geur van de waren roken. Daarom stond er onder de esp ook een bed, dat niet te koop was.

Ook gebeurde het wel eens dat iemand bij het weggaan in de deuropening een pas gekochte dikke muts al over zijn ogen trok en slapend over de drempel struikelde, op de grond viel en urenlang bleef slapen zodat er niemand naar binnen kon.

Ach ja, dacht de uil als hij wakker was, zo gaat dat. Hij vond dat een mooie gedachte en hij gaf hem soms ook als raad aan zijn klanten mee: 'U gaat liggen, trekt dat groene dekentje over u heen en zegt: "Zo gaat dat." En als dat niet helpt, dan rolt u zich op.'

Die laatste raad had hij een keer van de egel gekregen. Een paar klanten, zoals de olifant, de zwaan en de krekel, hadden zich ook al eens opgerold. Ze waren niet meer terug geweest en de uil meende dat dat betekende dat ze tevreden sliepen.

Zo zat hij daar achter zijn toonbank, terwijl de laag stof op zijn voorraad steeds dikker werd en hij zelf steeds vaker sliep.

Op een dag ging de eekhoorn naar het winkeltje toe. Hij had lang niet kunnen slapen. Van verre hoorde hij al gesnurk. Het bord op de deur van de uil waarop SLAAPBENODIGDHEDEN stond, was scheefgezakt en de deur was vermolmd en niet meer open te krijgen.

De eekhoorn ging op de rand van het bed onder de esp zitten.

Hij luisterde naar het gesnurk dat uit het winkeltje kwam en dat het geritsel van de bladeren van de esp overstemde, en hij kreeg plotseling zo'n slaap dat hij achteroverviel en een hele dag en een hele nacht doorsliep.

Want wat de uil verkocht en in voorraad had was wel heel goed.

16

O P E E N K E E R V I E L D E Z O N I N S L A A P.

Het was midden op de dag en hij stond juist hoog aan de hemel.

Of hij het te warm had of die nacht achter de horizon slecht had geslapen, dat was niet duidelijk. Hij sliep en hij dacht nergens meer aan.

De eekhoorn en de mier zaten in het gras aan de oever van de rivier. Ze praatten met elkaar over de zomer, sliepen wat en praatten weer verder. Uren gingen voorbij en de zon lag nog steeds hoog aan de hemel te slapen.

'De tijd lijkt wel stil te staan,' zei de eekhoorn.

'Ja,' zei de mier. 'Dat lijkt zo. Maar dat is niet zo. De tijd staat nooit stil. Al zet je de hoogste muur vlak voor hem, eekhoorn, hij staat niet stil, hij loopt er dwars doorheen. Bergen, oceanen, rozenstruiken, modder, duisternis, hij loopt overal doorheen.'

De eekhoorn knikte en even later vielen ze in slaap.

Toen ze wakker werden dachten ze dat ze heel lang hadden geslapen, maar nog steeds stond de zon hoog aan de hemel.

'Maar zou de tijd niet één keer kunnen stilstaan?' vroeg de eekhoorn. 'Al is het maar om even uit te rusten?'

'Nooit!' riep de mier. 'Nooit!' Maar hij keek wel bezorgd omhoog.

Plotseling stak de mol zijn kop boven de grond, knipperde met zijn ogen, keek om zich heen en mopperde: 'Wordt het soms nooit donker? Hoe zit dat?'

Hij trok zijn kop vlug weer terug.

Even later hoorden ze hem tegen de grond bonken en verbolgen heen en weer sloffen. En ze hoorden de worm met hem mee bonken en sloffen.

'Ook wat moois,' mopperden ze.

'Er is iets mis,' zei de eekhoorn.

'Nee!' riep de mier. 'Er is niets mis! Dat kan niet! Er is nooit iets mis!'

Hij ging op zijn hoofd staan, maakte een rare sprong, viel op zijn rug en riep met zijn ogen dicht en zijn poten in de lucht: 'Er is nooit iets mis geweest en er zal nooit iets mis zijn!'

Maar iedereen werd ongerust. Sommige dieren hadden het te warm of wilden graag in het donker slapen, anderen wilden juist in het donker wat rondwandelen. Enkele dieren hadden vaak gezegd: 'Ik wou dat de zon nooit onderging', maar waren die middag van mening veranderd.

Nog steeds sliep de zon.

De dieren dachten na en besloten toen allemaal tegelijk te roepen. Misschien zou de zon hen wel horen.

'Zon!' riepen ze. 'Zon! Word wakker!'

Hè, wat? dacht de zon. Hij schrok wakker. Waar ben ik?

Toen zag hij dat hij nog hoog aan de hemel stond. Ach... dacht hij, ik ben in slaap gevallen... midden op de dag... hoe is het mogelijk.

Hij schudde zijn stralen en holde met grote passen naar beneden. In een paar tellen was hij achter de horizon verdwenen.

Zo vlug was hij nog nooit ondergegaan.

Verbouwereerd keken de dieren elkaar aan. Toen gingen degenen die wilden slapen vlug slapen en de anderen, die in het donker wilden wandelen, gingen wandelen.

De mol en de aardworm stapten de grond uit. 'Hè hè,' zeiden ze. Ze keken elkaar aan en vroegen elkaar of ze misschien wilden dansen. 'Dat is goed,' zeiden ze. En in de diepste duisternis dansten ze, middenin het bos, terwijl de eekhoorn en de mier hun weg naar huis zochten en de mier af en toe mompelde: 'Zie je wel' en 'Het kan niet'. Maar hij zei dat niet hardop en de eekhoorn hoorde hem niet.

De eekhoorn lag in bed. Het was nacht. Hij draaide zich op zijn zij, draaide zich weer terug, keek zijn donkere kamer in en dacht aan de slaperigste dingen die hij kon bedenken. Maar hij viel niet in slaap.

'Ik kan níét slapen,' zei hij hardop tegen zichzelf.

'Dat klopt,' hoorde hij opeens. Het was een stem die van buiten kwam.

Hij schoot rechtovereind.

'Wie is daar?' vroeg hij.

'De slaap,' zei de stem. 'Ik kan er niet in.'

De slaap? dacht de eekhoorn.

'Mijn slaap?' vroeg hij.

'Jouw slaap,' zei de stem. 'Doe de deur eens open.'

'Maar waarom kan je er niet in?' vroeg de eekhoorn. 'Anders kan je er altijd in.'

'Ja,' zei de slaap. Het was even stil. 'Dat weet ik ook niet,' zei hij toen.

De eekhoorn liep naar zijn raam. Het was donker buiten.

'Ik sta voor de deur,' zei de slaap.

De eekhoorn deed de deur open.

'Op een kier is genoeg,' zei de slaap.

De eekhoorn stapte vlug achteruit en ging op de rand van zijn bed zitten. Hij zag niets binnenkomen. Maar hij hoorde wel een zacht soort voetstappen en een geruis. En hij zag in de schemering dat zijn stoel heel langzaam omviel.

'Wat gebeurt er?' vroeg, hij.

'Sst,' zei de stem. 'De stoel slaapt.'

Toen schoof de tafel een stukje opzij en begon zachtjes te kraken.

'Dat is snurken,' fluisterde de slaap.

De brief die de eekhoorn die ochtend van de walvis had gekregen rolde zich op, de kast floot zachtjes en regelmatig door zijn sleutelgat heen en de dingen aan de muur maakten het zich gemakkelijk, gingen scheef hangen en sliepen in.

'Nu jij nog,' zei de slaap.

'Hoe zie je eruit?' vroeg de eekhoorn. 'Ik zie niets.'

'Ik zie er niet uit,' zei de slaap. 'Ik hoef er ook niet uit te zien.'

Hij stond naast het bed, zo te horen.

De eekhoorn ging liggen en voelde zijn voeten al slapen, en toen zijn knieën, zijn staart en zijn buik. 'Dag slaap,' zei hij.

'Dag eekhoorn,' zei de slaap. Hij boog zich over de eekhoorn heen en de eekhoorn sliep.

Zacht haalden de eekhoorn en de dingen adem.

Nog een tijdlang sloop de slaap door de kamer en keek of alles sliep, de kam die op de grond was gevallen, een doosje met geheimen dat de eekhoorn nog nooit had opengemaakt, het stof in de hoeken. Alles sliep.

Toen glipte hij weer naar buiten en trok de deur zachtjes achter zich dicht. Hij had nog meer te doen, en geruisloos vloog hij weg, op zoek naar andere dieren die niet konden slapen. Want hij kon iedereen laten slapen. Iedereen.

'Als ik een boom was,' zei de olifant, 'dan zou niemand ooit uit mij kunnen vallen. Daar zou ik wel voor zorgen.'

Hij zat naast de eekhoorn in het gras. Het was zomer. De merel floot en hoog in de lucht vloog de zwaluw heen en weer.

'Ik zou heel hoog zijn,' ging de olifant verder, 'en ik zou overal takken hebben zodat iedereen in mij zou kunnen klimmen. En als iemand bijna misstapte zou ik ruisen: "Kijk uit" en "Ho" en dan zou zo iemand zich bedenken en niet misstappen. En als iemand dan toch misstapte dan zou ik meteen een tak uitsteken en hem pakken. Als iemand dan toch nog zou vallen, al was het maar een klein stukje, dan zou ik me toch schamen, schamen...'

De eekhoorn had zijn ogen dichtgedaan en sliep bijna. Af en toe drong er nog een enkel woord tot hem door, zoals 'vallen' en 'Ho'.

'Maar ja,' zei de olifant. 'Ik ben geen boom. Helaas niet.'

Hij stond op, stak zijn slurf de lucht in en riep: 'Helaas niet! Helaas niet!'

De eekhoorn sliep nu helemaal.

De olifant ging weer zitten.

'En als ik de grond was, eekhoorn,' zei hij, 'dan was ik heel zacht, dat weet ik zeker!'

Hij leunde achterover en keek naar de lucht.

Daar ben ik nog nooit in geklommen, dacht hij, in de lucht. Hoe zou dat eigenlijk zijn?

Maar ja, dacht hij toen, er is zoveel waar ik nog nooit in ben geklommen...

Hij deed zijn ogen dicht.

Ach, dacht hij, wat zit ik toch weer allemaal te bedenken...

Hij zuchtte diep. Ik wou, dacht hij, dat ik eens één keer in mijn gedachten kon klimmen, helemaal tot bovenaan, zodat ik over mijn hele verstand heen kon kijken.

Hij fronste zijn wenkbrauwen. En dan, dacht hij somber, wat zou er dan gebeuren... zou ik een danspas maken... en vervolgens...

Hij haalde zijn schouders op, zuchtte nog een keer diep, legde zijn slurf achter zijn hoofd, leunde achterover en viel in slaap.

Zo sliepen ze daar, in het gras, op een warme dag in de zomer,

de eekhoorn en de olifant, terwijl de zon scheen en in de verte de zwaluw in grote bogen, met plotselinge scherpe bochten, hoog door de lucht vloog.

De slak en de schildpad besloten samen op reis te gaan.

'We houden elkaar net bij,' zei de schildpad.

'Ik hoop het, schildpad,' zei de slak. 'Ik hoop het.'

De vorige dag was de schildpad al naar de slak toe gekomen en hadden ze over hun reis gesproken. Ze wilden de rozenstruik bezoeken die tegenover de slak onder de eik bloeide.

Die nacht sliepen ze naast elkaar. De slak in zijn huis, de schildpad onder zijn schild. De schildpad werd als eerste wakker. Hij stak zijn hoofd onder zijn schild uit en zag dat de zon al opkwam. Voorzichtig tikte hij op de muur van de slak.

'Slak...' zei hij zachtjes.

De slak was nog diep in slaap en schrok zó dat hij recht omhoog schoot, dwars door zijn dak heen vloog, en even later weer op zijn huis neerkwam. Het dak en de muren braken in honderd stukken.

Bleek en ontredderd zat hij tussen de resten van zijn huis. De schildpad stond naast hem en zei dat het niet zijn bedoeling was geweest om...

'Ach!' riep de slak. 'Je moet ook niet zo haastig tikken!'

'Maar we zouden toch op reis gaan?' vroeg de schildpad.

'Op reis... op reis...' zei de slak. 'Maar toch niet meteen? Ik houd niet van meteen, schildpad. Ik heb daar een grote hekel aan.'

De schildpad keek naar de grond en zei zachtjes: 'Het spijt me.'

'Ach, spijt...' zei de slak bitter. 'Dat is zeker net zoiets als haast, hè.' Hij rilde. 'Zie je dat ik ril?' ging hij verder. 'En ik ril nooit! Dat komt natuurlijk door jouw spijt. Nee schildpad, aan spijt heb ik net zo'n hekel als aan meteen.'

De schildpad zweeg.

'Wat nu?' vroeg de slak.

De schildpad wist niets te bedenken, en lange tijd zaten ze zwijgend naast elkaar in het gras.

Tegen het eind van de ochtend kwam de boktor langs, die op weg was om iemand weer in elkaar te zetten die middenin de nacht plotseling was ontploft.

'Huis kapot?' vroeg hij.

'Ja,' zei de slak.

'Maken?' vroeg de boktor.

'Dat is goed,' zei de slak.

Even later was het huis van de slak weer heel, en het was zelfs mooier dan ooit, want de boktor had het helemaal rood geverfd.

'Wat is dat, dat rood?' vroeg de slak onzeker.

'Dat is een waarschuwing,' zei de boktor. 'Voor jou.'

'Voor mij?' zei de slak. 'Speciaal voor mij?'

Maar de boktor was al doorgelopen en gaf geen antwoord meer.

De slak stapte zijn huis in, voelde aan de muren, keek door de ramen en stapte weer naar buiten. De schildpad zat nog steeds in het gras.

'Ik heb een waarschuwing gekregen, schildpad,' zei de slak en hij keek gewichtig op de schildpad neer.

De schildpad zweeg. Ik krijg nooit iets, dacht hij.

De zon begon alweer te dalen en ze besloten hun reis uit te stellen tot later en misschien wel, zei de slak, tot nooit.

'Dan ga ik maar weer,' zei de schildpad.

De slak stond in zijn vuurrode deuropening en keek de schildpad na.

'Dag schildpad,' zei hij. 'Wees voortaan wat trager.'

De schildpad probeerde zijn tanden te knarsen en sjokte naar huis.

Het werd nevelig en de zon verdween achter de bomen. Ik ben verloren, dacht de schildpad.

Maar plotseling klaarde zijn stemming op. Dat ben ik dus, dacht hij, verloren. Hij moest opletten zijn pas niet te versnellen. Verloren, dacht hij, dat is de slak nooit! Dat weet ik zeker.

DE EEKHOORN EN DE KIKKER ZATEN TUSSEN HET RIET LANGS de oever van de rivier en spraken over slapen en niet kunnen slapen en doorslapen en niet willen slapen en uitslapen en inslapen en nog veel meer soorten slapen.

'Ik slaap graag kwakend in,' zei de kikker. 'Ik kwaak mijzelf als het ware in slaap, eekhoorn. Heel aangenaam is dat. Maar ja, daarvoor moet je natuurlijk wel kunnen kwaken...'

Hij keek de eekhoorn enigszins meewarig aan.

'Ja,' zei de eekhoorn.

'Het liefst,' ging de kikker verder, 'kwaak ik 's avonds iets vrolijks. Maar dat lukt niet altijd. Dat is zo raar, eekhoorn. Soms wil ik heel graag iets vrolijks kwaken en dan kwaak ik iets sombers. En toch ben ik de baas over het kwaken!'

Hij ging op zijn achterpoten staan en keek de eekhoorn met grote ogen aan. 'Wie zou dat anders zijn?' vroeg hij.

'Ik weet het niet,' zei de eekhoorn.

'Nee,' zei de kikker en ging weer zitten. Hij liet zijn schouders zakken. 'Ik wil best wel eens iets sombers kwaken,' zei hij, 'als het mistig is of sneeuwt. Daar gaat het niet om. Maar niet 's avonds, voor het slapen. Heb jij ook zoiets?'

'Wat?' vroeg de eekhoorn.

'Dat je ergens niet de baas over bent, terwijl je toch de baas bent.'

'Ja,' zei de eekhoorn en hij dacht: over mijn gedachten, daar ben ik nooit de baas over, die doen maar, rennen maar, duwen maar... alsof ik niet besta! Maar hij zei verder niets.

Na een korte stilte zei de kikker: 'Raar.'

'Ja,' zei de eekhoorn.

'Soms word ik ook kwakend wakker,' zei de kikker. 'Dan zegt iedereen dat ik de hele nacht in mijn slaap heb doorgekwaakt.'

Hij keek de eekhoorn aan, maar de eekhoorn keek naar het water, dat in kleine golfjes tegen de rietstengels op botste.

'Maar dat vind ik niet erg,' ging de kikker verder. 'Al zou ik wel eens willen weten wat ik in mijn slaap kwaak. Maar ja...'

Peinzend staarde hij over het kabbelende water en kwaakte ongemerkt een zacht liedje.

26

Even later schoot hij overeind. 'O jee,' riep hij. 'Nu kwaak ik weer iets zonder dat ik het zelf in de gaten heb. Wat raar! Wat raar!'

Daarna zwegen ze. De kikker keek met grote ogen naar het water en de eekhoorn geeuwde.

De zon verdween achter de toppen van de bomen.

'Kwaken is iets raadselachtigs, eekhoorn,' zei de kikker. 'Misschien is er wel niets zo raadselachtig als kwaken. Misschien is kwaken wel het raadselachtigste wat er bestaat.'

De eekhoorn knikte.

De kikker sprong op, kwaakte luidkeels, sprong in het water en klom vrolijk kwakend de kant weer op.

'Ik ben de baas van het kwaken!' kwaakte hij. 'De baas van het raadselachtigste wat er bestaat!'

De eekhoorn schraapte zijn keel, dacht aan honing en de horizon en onverwachte brieven met uitnodigingen van onbekenden, en zei: 'Ja.'

DE TOR KON NIET SLAPEN.

Hij woelde in het donker onder de steen aan de rand van het bos.

Ik weet wel waarom, dacht hij. Morgen word ik somber.

Hij wist niet waarom hij somber zou worden. Maar dat hij het zou worden wist hij zeker.

Hij fronste zijn wenkbrauwen en dacht: zou ik misschien niet kunnen slapen omdat ik er nu al somber over ben dat ik morgen somber word? Maar dat zou niet eerlijk zijn. Want nu ben ik het nog niet.

Even stonden zijn gedachten stil. Het leek wel of ze rechtsomkeert maakten of in elkaar doken om de lucht in te vliegen. Nu ben ik dus nog vrolijk, dacht hij onzeker.

Hij stond op, haalde diep adem en maakte een klein dansje. 'O wat ben ik nu nog vrolijk, vrolijk...' zong hij.

Maar na een paar passen bleef hij staan. Het is wel raar, dacht hij, om nu zo vrolijk te dansen, terwijl ik morgen somber word. Alsof dat niets is! Dat is toch treurig?

Hij knikte, ging weer liggen en draaide zich op zijn zij. Hij zag zijn somberheid voor zich. Ze leek op een reusachtige wolk, of een overstroming. Ja, dacht hij, daar lijkt ze op, een donkere overstroming, een grote zwarte overstroming.

Hij ging weer op zijn rug liggen en kon onder de steen door de sterren zien. Ze twinkelden en flonkerden. Die zien er morgen dof uit, dacht hij. Let maar op. Hij zuchtte diep.

Niet te diep zuchten, dacht hij toen. Dat kan ik morgen nog genoeg doen.

Hij probeerde niet meer te zuchten of zorgelijk te kijken of zijn wenkbrauwen te fronsen.

Zo lag hij daar op zijn rug, in het donker, in de nacht voor hij somber zou worden.

Het was een lange, ingewikkelde nacht.

Als ik morgen aan nu denk, dacht hij, dan zal ik mijn hoofd schudden van verbazing. Zo luchtig en lichtzinnig als ik nu hier lig... Hij schudde zijn hoofd. Maar hij dacht meteen: nee, dat moet ik morgen doen. Nu moet ik knikken. Hij knikte.

De zon kwam op. De tor keek naar de horizon. Het was alsof hij in de verte zijn somberheid al kon horen. Een soort gedonder dacht hij. Golven.

Hij kroop zo diep mogelijk weg onder de steen.

O, wat ben ik nu nog blij! dacht hij.

Toen viel hij in slaap.

De zon klom omhoog en scheen door het dichte struikgewas aan de rand van het bos tot onder de steen. De tor glansde in het ochtendlicht.

Hij sliep.

OP EEN DAG VIERDE DE SPITSMUIS ZIJN VERJAARDAG.

Het was een groot feest en bijna alle dieren waren er.

Grote stapels cadeaus lagen naast de deur van de spitsmuis en overal stonden taarten.

Toen iedereen volop aan het smullen was en de eerste dieren al niet meer konden, langzaam onderuit zakten en zachtjes kreunden, stond de spitsmuis op.

'Dieren,' zei hij.

Het werd stil. Iedereen hield op met eten, zelfs de beer.

De spitsmuis schraapte zijn keel en spreidde zijn armen uit. Hij wilde een belangrijke toespraak houden. Hij wilde zelfs de belangrijkste toespraak houden die ooit was gehouden.

Maar plotseling wist hij niet meer wat hij wilde zeggen. Er schoot hem niets meer van zijn toespraak te binnen, en alles wat hem nog wel te binnen schoot vond hij zó onbelangrijk dat hij het niet durfde uit te spreken.

 Het was heel stil. Zijn armen waren nog steeds wijd uitgespreid. Iedereen keek naar hem. Ik moet iets zeggen, dacht hij. Dat moet!

Hij dacht koortsachtig na en voelde kleine zweetdruppeltjes langs zijn rug naar beneden rollen.

Toen zei hij: 'Welterusten.'

Hij ging weer zitten. Wat heb ik nú gezegd... dacht hij vertwijfeld.

Een luid gegons rees op. 'Wat zei hij?' vroeg de een. 'Welterusten,' zei de ander. 'Welterusten?' 'Ja, welterusten.' 'Maar mijn taart dan?' 'Ja. Maar hij zei het echt.'

Het werd weer stil. De dieren dachten na.

Het is zíjn verjaardag, dachten ze.

Ze knikten, mompelden: 'Ook welterusten', gleden van hun stoel af op de grond of vielen met hun hoofd voorover op de tafel in slaap. De beer zorgde ervoor dat hij precies met zijn hoofd in een taart lag, en de mier trok de staart van de eekhoorn over zich heen, zodat hij het niet koud kon krijgen, hoe lang hij ook sliep.

Even later sliep iedereen en klonk er een zacht en zo nu en dan ook luid gesnurk.

Het was laat in de middag. De zon daalde naar de toppen van de bomen. De rivier glinsterde en ook de karper, de snoek en alle andere vissen sliepen.

Alleen de spitsmuis was nog wakker. Met grote ogen keek hij naar iedereen. Wat héb ik gezegd, wat héb ik gezegd... dacht hij.

Plotseling herinnerde hij zich weer alles wat hij had willen zeggen.

'Dieren!' zei hij. 'Dieren!'

Maar iedereen sliep.

Toen legde de spitsmuis ook zijn hoofd op zijn armen. Ze moesten eens weten wat ik allemaal had zullen zeggen... dacht hij. Ze zouden nooit meer dezelfde zijn geweest... Nooit meer!

De zon ging onder. Dunne, doorzichtige nevels slopen tussen de struiken door en gleden langs de oevers van de rivier. Iedereen, maar dan ook iedereen sliep.

ALS DE EEKHOORN NIET KON SLAPEN EN HEEL HARD HAD nagedacht en nog steeds niet sliep telde hij op een speciale manier die hij van de mier had geleerd: 'Eigenaardig weemoedig diepzinnig vindingrijk wijselijk zwaarwegend veelvuldig hoogachtend vreemdsoortig triest zachtaardig zachtmoedig zachtzinnig...'

Voor hij bij zachtzinnig was sliep hij meestal al. Maar als hij dan nóg niet sliep verzon hij nieuwe getallen, want de mier zei dat je zelf maar moest weten wat er na zachtzinnig kwam.

Dan zei de eekhoorn zachtjes voor zichzelf, in zijn donkere kamer, hoog in de beuk: '...smakelijk zonnig feestelijk vrolijk misschien altijd...'

Hij wist niet of dat echte getallen waren. Maar hij viel altijd in slaap voordat hij verder kon tellen dan tot altijd. En als hij 's ochtends zijn ogen opendeed wist hij nooit wat er na altijd had kunnen komen. Niets misschien, dacht hij. Maar dan scheen de zon en waren er andere dingen om aan te denken, zoals verjaardagen, brieven, de verte, gestoofde beukennoten en het glinsteren van het water van de rivier.

Een enkele keer, als hij heel slaperig was, keek hij wel eens in zijn kast en telde de potjes die daar stonden op de speciale manier: 'Weemoedige potjes eikenhoning, vindingrijke potjes lindesuiker, hoogachtende potten berkenschors en gelukkig nog, laat eens kijken, zachtmoedige, nee, zelfs zachtzinnige potjes beukennotenhoning.'

Dan was hij zo tevreden dat hij even later, zonder ook maar tot eigenaardig te tellen, in slaap viel, in zijn warme bed, dichtbij de top van de beuk.

De sprinkhaan bewonderde zijn groene jas, zijn weloverwogen passen – schreden noemde hij ze – en zichzelf.

Het liefst bekeek hij zich in een spiegel. 'Ach, wat mooi,' mompelde hij dan, 'wat mooi...'

Dikwijls hing hij die spiegel op in een boom, deed een paar stappen achteruit en liep voor de spiegel langs om te zien hoe hij liep. Fier, dacht hij, ik neem fiere schreden...

Als hij op reis ging nam hij zijn spiegel altijd mee om telkens vlug even te zien hoe vriendelijk hij glimlachte naar voorbijgangers die hem zagen en zeiden: 'Hallo sprinkhaan.'

Zelf zei hij nooit 'Hallo'. Het liefst zei hij niets en knikte hij minzaam of wuifde hij. Wuiven, dat deed hij graag.

Maar één ding beviel hem niet. En dat was dat hij nooit kon zien hoe hij sliep. Misschien ben ik dan nog veel mooier, dacht hij. Hij hing zijn spiegel boven zijn bed en als hij bijna sliep deed hij één oog een klein beetje open en keek in de spiegel. Hij vond dan dat hij schitterend lag, maar hij zag altijd wel nog zijn ene oog dat keek en hij wist dat hij dus niet sliep.

Op een dag, toen hij voelde dat hij somber ging worden en zijn jas van louter verdriet van kleur dreigde te verschieten, vroeg hij de tor of hij één nacht naast zijn bed wilde blijven zitten om te zien hoe hij sliep.

'Dat is goed,' zei de tor.

De volgende avond zat de tor op een stoel naast het bed van de sprinkhaan. De sprinkhaan vlijde zich voorzichtig neer, trok een klein hemelsblauw dekentje over zich heen en deed zijn ogen dicht.

'Nu opletten, tor,' zei hij.

'Ja ja,' zei de tor.

De sprinkhaan gaapte sierlijk en viel in slaap.

Vroeg in de ochtend werd hij wakker. Zijn hart bonsde. Ik ben benieuwd, dacht hij. Maar tot zijn teleurstelling zat de tor onderuitgezakt in de stoel te slapen. Hij snurkte en het was geen mooi gesnurk.

'Tor,' zei de sprinkhaan.

De tor sprong overeind. 'O ja,' zei hij. 'Ik ben hier.'

'Hoe sliep ik?' vroeg de sprinkhaan.

'Hoe sliep u? Hoe sliep u ook alweer?' zei de tor en krabde zich op zijn achterhoofd. 'Diep misschien?'

'Nee...' zei de sprinkhaan en er verschenen strenge rimpels in zijn voorhoofd. 'Sliep ik mooi?'

'Mooi, mooi...' mompelde de tor. 'Ja hoor, heel aardig.'

De sprinkbaan begreep dat het een vergeefse nacht was geweest en hij verzocht de tor zich te verwijderen.

Toen hij weer alleen was pakte hij zijn spiegel, bekeek zichzelf uitvoerig en zei: 'Ik heb aan niemand iets. Behalve aan mijzelf. Dat dien ik te beseffen.'

Hij knikte naar zichzelf.

Maar diep in hem knaagde het en zou het altijd wel blijven knagen: sliep hij mooier dan hij wakker was, of omgekeerd?

Ach, dacht hij dikwijls, wat is het leven toch onvolledig...

En telkens weer was hij verbaasd en ook wel vol bewondering over die kostbare gedachte.

Het was herfst en het regende. De eekhoorn kon niet slapen.

Hij hield zijn ogen dicht en luisterde naar het geluid van de regen. Hij hield van het gekletter en getik van de regen op zijn dak en tegen de muren van zijn huis, als het donker was en hij in bed lag.

Hij dacht na over de regen. Zou de regen het eigenlijk prettig vinden om te regenen? dacht hij. Of zou hij er ook wel eens moe van worden en toch door moeten regenen, de hele nacht door? Hij krabde aan zijn achterhoofd en keek omhoog naar zijn plafond. Zou de regen eigenlijk kunnen slapen? dacht hij opeens. En als hij slaapt, waar zou hij dan slapen?

Het waren rare gedachten. Waarom denk ik zulke gedachten toch? dacht hij. Alsof de regen iemand is... De regen heeft toch geen hoofd? Dus kan de regen toch ook helemaal niet denken? En als je niet kunt denken ben je niemand. En als je niemand bent kun je niet slapen.

Hij schraapte zijn keel en besloot niet verder te denken.

Hij keek om zich heen. Zijn kamer was schemerig. Hij zag de omtrekken van zijn tafel en zijn stoel, en door zijn raam zag hij een paar donkere wolken. De regen tikte tegen het raam. Er tikt dus niemand tegen mijn raam, dacht de eekhoorn.

Plotseling hield het op met regenen en hoorde de eekhoorn een stem. 'Ik ben wel iemand,' zei de stem. Hij klonk vochtig en een beetje bedroefd.

De eekhoorn ging rechtovereind zitten.

'Ben jij dat, regen?' vroeg hij.

'Ja,' zei de regen. 'En ik heb wel gedachten. En wel een hoofd.'

'Een hoofd?' vroeg de eekhoorn. 'Net zo'n soort hoofd als ik?'

'Nee,' zei de regen. 'Maar dat hoeft toch ook niet? Ik heb een heel ander soort. Maar wel een echt hoofd.'

'Met een slurf soms?' vroeg de eekhoorn. 'Of voelsprieten? Of een opgerolde tong? Of heb je soms steeltjes?'

'Nee,' zei de regen. 'Ik heb geen steeltjes.'

Even was het stil.

'Als je mijn hoofd wilt zien,' zei de regen, 'dan moet je nu heel vlug even uit je raam kijken, want ik heb altijd maar heel even een hoofd.'

Heel even een hoofd? dacht de eekhoorn, maar hij sprong uit bed, duwde het raam open en keek.

Hij zag niets.

'Ai,' zei de regen. 'Net te laat. Mijn hoofd was net weer weg.'

De eekhoorn ging weer in bed liggen. Hij keek naar het plafond en voelde dikke rimpels in zijn voorhoofd verschijnen. Heel even een hoofd, dacht hij, wat zou dat voor hoofd kunnen zijn? Hij dacht aan alle hoofden die hij kende: het hoofd van de mier, het hoofd van de krekel, het hoofd van de slak, het hoofd van de walvis, het hoofd van de spin, het hoofd van de olifant, het hoofd van de inktvis... Sommige hoofden waren heel eigenaardig. Maar er was er niet een bij dat telkens maar heel even bestond.

'Ik ga maar weer regenen,' zei de regen. Hij klonk heel verdrietig.

'Dat is goed,' zei de eekhoorn.

Even later viel de regen weer op zijn dak en hoorde de eekhoorn het getik van de ontelbare druppels.

De regen begon steeds vrolijker te regenen, en harder.

Misschien is dat geruis wel lachen, dacht de eekhoorn. Of dansen. Zijn soort dansen.

Heel stil stond hij weer op en ging naar het raam. Hij deed het raam open en stak zijn hoofd vlug naar buiten. Hij was meteen kletsnat. Maar toen hij schuin omhoog keek zag hij heel even het hoofd van de regen. Dat moet het zijn! dacht hij. Hij had nog nooit zo'n hoofd gezien. Het leek nergens op. Dat klopt dus, dacht hij.

Hij trok vlug zijn eigen hoofd weer naar binnen, deed zijn raam dicht en ging weer in bed liggen.

Als hij een hoofd heeft heeft hij ook gedachten, dacht hij. Dat moet. En dan kan hij dus ook slapen.

Maar hoe de regen sliep en waar hij sliep en hoe hij wakker werd en zich uitrekte en opstond, dat kon hij niet bedenken. Dat vraag ik hem een andere keer wel, dacht hij. Anders stoor ik hem nog.

En terwijl de regen vrolijk en onafgebroken op zijn dak danste en sprong, viel de eekhoorn langzaam in slaap.

'ALS JE NIET KUNT SLAPEN MOET JE ZO HARD EN INGEWIK-keld mogelijk nadenken, dan val je altijd in slaap,' had de mier eens tegen de eekhoorn gezegd.

Soms dacht de eekhoorn na over taarten die hij nog nooit had gezien, taarten van louter zoete lucht of alleen maar van de geur van honing. Of hij dacht aan de verte of aan het midden van de nacht, hij zou wel eens precies het midden van de nacht willen zien, of het midden van de horizon. Waar zou dat zijn? En hoe zou je daar moeten komen?

Op een avond dacht hij eraan hoe het zou zijn als hij niet be-stond. Hij keek naar zijn donkere kamer en zag de omtrekken van zijn tafel en zijn stoel. Die zouden er wel zijn, dacht hij. En zijn kast zou er zijn en de pot met beukennotenhoning op de bovenste plank. En zijn bed zou er zijn. Maar er zou niemand in liggen. Al-les zou er zijn, dacht hij, behalve ik.

Het was een ingewikkelde gedachte. Zo'n gedachte bedoelt de mier, dacht de eekhoorn.

Hij dacht aan de volgende ochtend, wanneer hij nog steeds niet bestond. De mier zou langs de beuk naar boven klimmen en door de deur naar binnen komen. Maar hij zou niet verbaasd zijn dat er niemand was, dat kon niet. Alsje niet bestond had je ook nooit be-staan, dacht de eekhoorn, anders werd het nóg ingewikkelder en zou hij misschien helemaal niet meer kunnen denken. Even later kwam de olifant er aan.

'Komt u op bezoek?' vroeg de mier.

'Nou, nee hoor,' zei de olifant. 'Ik kom hier even aan de lamp heen en weer slingeren.'

'O,' zei de mier.

De olifant klom op de tafel, greep de lamp en slingerde zwij-gend heen en weer. Hij viel niet en stapte na een tijdje weer op de tafel.

De mier haalde een pot beukennotenhoning uit de kast en schepte de honing op twee borden.

Ze gingen aan tafel zitten en aten, zonder iets te zeggen, hun bord leeg.

Daarna zaten ze nog een tijdlang zwijgend tegenover elkaar. Ze leken in gedachten verzonken.

'Mis jij wel eens iemand?' vroeg de olifant.

'Nee,' zei de mier. 'Ik mis nooit iemand.'

'Ik ook niet,' zei de olifant. Ze keken elkaar even met opgetrokken wenkbrauwen aan en schudden hun hoofd.

De eekhoorn sliep nog steeds niet.

De olifant stapte even later naar buiten en de eekhoorn hoorde hem vragen: 'Zullen we dansen?'

'Waar?' vroeg de mier.

'Hier, voor de deur,' zei de olifant. 'Er woont hier toch niemand.'

'Dat is goed,' zei de mier.

Ze dansten en de eekhoorn zag hoe ernstig ze dansten, ook al was het maar één pas, en hoe de olifant toen viel en riep dat dat niets gaf.

Nog steeds sliep hij niet. Hij zag de mier in de deuropening staan. De mier wilde weggaan, maar hij aarzelde en keek over zijn schouder de lege kamer in.

De eekhoorn zag even een eigenaardige uitdrukking op zijn gezicht, een soort treurige verbazing, die hij in het echt nog nooit op het gezicht van de mier had gezien.

En nog voor de mier de deur achter zich had dichtgedaan, in het diepst van zijn gedachten, sliep de eekhoorn in.

AAN DE RAND VAN DE ZEE WOONDE DE KRAB.

Hij woonde in een huisje in de branding. Zijn dak was bedekt met wier.

Het was maar zelden dat hij op reis ging of zijn verjaardag vierde. En brieven kreeg hij nooit. Hij vond zichzelf overbodig en dikwijls zei hij dat ook tegen zichzelf: wat ben ík overbodig...

Zo woonde hij, schraal en terneergeslagen, aan de rand van de zee.

Op een ochtend bekeek hij zichzelf in het stilstaande water achter een rots en schudde zijn hoofd.

'Overbodige scharen,' zei hij. 'Overbodige rug. Overbodige ogen. Trouwens, die zie ik niet eens.' Ik weet niet eens waarmee ik kijk, dacht hij.

Hij hief zijn hoofd op en dacht aan alles wat overbodig was of niet bestond. Toen dacht hij aan de ontelbare brieven die hij nooit kreeg.

Hij schuifelde weer terug naar de zee en verborg zich in de branding.

Hij was heel bang dat op een dag iemand zou langskomen, hem bij zijn scharen zou optillen, misschien één tel zou nadenken en hem zou weggooien. Met een grote zwaai. 'Zo,' zou hij zeggen en hij zou tevreden in zijn handen wrijven.

De krab rilde bij die gedachte.

Het liefst viel hij maar in slaap. Als hij sliep hoefde hij niets van zichzelf te vinden.

Halverwege de ochtend werd er op zijn rug geklopt. De krab schrok wakker.

'Wie is daar?' vroeg hij. Nu is het zover, dacht hij.

'Ik,' zei een stem. 'De eekhoorn. Ga je mee wandelen?'

De eekhoorn? dacht de krab. Wandelen? Maar hij slaakte wel een zucht van opluchting, want de stem van de eekhoorn klonk heel vriendelijk.

'Ik wandel zo raar,' zei hij. Hij wilde eigenlijk zeggen dat hij zo overbodig wandelde, maar hij zei dat niet.

'Ik ook,' zei de eekhoorn.

'Jij ook?' vroeg de krab. 'Hoe wandel jij dan?'

'Ja...' zei de eekhoorn. 'Dat weet ik niet. Maar wel raar.'

Even later wandelden ze langs het strand. Eerst zeiden ze niets. Toen zei de krab heel zachtjes: 'Ik wandel echt heel raar, hè?'

'Ja,' zei de eekhoorn. 'Maar wel mooi.'

'O ja?'

'Ja.'

Het was even stil.

'Ik loop wel raarder dan jij,' zei de krab.

De eekhoorn keek naar de zee en zei: 'We lopen precies even raar.'

De krab keek opzij en vond dat de eekhoorn prachtig liep.

Lange tijd zwegen ze.

Toen vroeg de krab: 'Eekhoorn...'

'Ja,' zei de eekhoorn.

'Denk je dat je mij straks zult weggooien?'

'Jou?'

'Ja.'

'Waarom?'

'Omdat ik overbodig ben.'

De eekhoorn bleef staan, keek de krab aan en zei: 'Nee.'

Toen liepen ze weer verder, aten wat zoet zeeschuim dat tegen de rotsen lag en rustten af en toe even uit.

Laat in de avond, toen de zon al achter de zee was verdwenen, waren ze weer terug bij het huis van de krab.

'Dag krab,' zei de eekhoorn.

'Dag eekhoorn,' zei de krab en even was hij zó vrolijk dat hij wel iets wilde zingen en zelfs daarbij wilde dansen, op zijn zijkant, op één schaar. Maar hij zong niet, want misschien zou iemand die dat hoorde hem wel meteen weggooien – iemand die aan kwam hollen en riep: 'Wie zingt daar? Jij? Weg!'

Hij zuchtte, stapte zijn huis in en dacht: je zou jezelf nu eens moeten zien, krab...

Maar het was te donker om naar de rots te gaan, naar het stilstaande water daarachter.

Het was middenin de nacht. De eekhoorn probeerde aan iets slaapverwekkends te denken. Maar alles wat hij bedacht vond hij bijzonder en verbaasde hem zo dat hij zijn ogen nog wijder opendeed. Het was donker en hij zag niets.

Plotseling werd er op zijn deur geklopt.

'Wie is daar?' vroeg hij.

De mier stapte naar binnen, maar de eekhoorn kon niet zien wie het was.

'De olifant,' zei de mier.

'O,' zei de eekhoorn. 'Wat kom je doen?'

De mier was even stil.

'Aan je lamp slingeren,' zei hij toen.

'Dat is goed,' zei de eekhoorn.

De mier klom op de tafel en slingerde in het donker aan de lamp.

'Slinger je goed?' vroeg de eekhoorn.

'Ja,' zei de mier. Maar echt goed slingeren deed hij niet. Slingeren lag hem niet.

Hij sprong terug op de tafel en maakte een geluid dat op trompetteren leek.

'Ja ja,' zei de eekhoorn. 'Ik hoor je wel.'

De mier klom van de tafel en ging op een stoel zitten. Het was een tijd stil.

De eekhoorn keek recht omhoog de duisternis in en wist niet goed of hij iets moest zeggen.

'Weet je,' zei de mier toen.

'Wat?' vroeg de eekhoorn.

'Ik ben de olifant niet,' zei de mier. 'Ik ben de mier.'

'O,' zei de eekhoorn.

'Of vind je dat soms hetzelfde?' vroeg de mier.

'Nou... hetzelfde...' zei de eekhoorn. 'Nee.'

'Wat is dan het verschil?'

De eekhoorn dacht diep na, maar hij kon plotseling het verschil niet bedenken. Terwijl hij heel goed wist dat het er was. Hij kneep zijn ogen dicht, dacht en dacht, en zei toen: 'Ik weet het niet.'

Het was lange tijd stil.

'Zou ik soms iedereen kunnen zijn?' vroeg de mier toen.

'Iedereen?' vroeg de eekhoorn. 'Hou zou je iedereen kunnen zijn?'

'Ja,' zei de mier somber, terwijl hij naar zijn voeten keek. 'Hoe zou dat kunnen?'

'Ik weet het niet,' zei de eekhoorn.

'Nee,' zei de mier.

Het was een vreemd gesprek, middenin de nacht. De eekhoorn stond op en ging naar de kast. Even later aten ze honing en zoete gelei.

'Ik kon toch niet slapen,' zei de eekhoorn.

'Nee,' zei de mier. Hij keek ernstig en leek heel diep na te denken.

'Kom,' zei hij plotseling. 'Ik ga weer eens.'

Hij deed de deur open. De eekhoorn stapte weer in bed.

'Niet vallen,' zei hij nog, terwijl hij zijn ogen dichtdeed.

Nee,' zei de mier en bijna, bijna was hij met donderend geraas van de top van de beuk naar beneden gevallen. Maar hij bedacht nog net op tijd dat hij nooit viel.

De olifant stak zijn slurf in de lucht, klapperde met zijn oren en riep zo hard als hij kon: 'Ik kan niet slapen!'

Alle dieren schrokken wakker en vlogen overeind.

Sommige dieren riepen: 'O nee?'

'Nee!' riep de olifant terug.

Hij ging liggen en sliep meteen in.

Maar de andere dieren zaten nog rechtop in bed, keken bedrukt de duisternis in en vroegen zich af waar ze waren.

Toen de olifant de volgende avond weer niet kon slapen en weer zo hard als hij kon riep: 'Ik kan niet slapen!' besloten de dieren hem te helpen.

'We moeten iets voor hem doen,' zei de krekel, die met zware oogleden in het gras aan de oever van de rivier zat.

'Ja,' geeuwde de tor.

'Maar wat?' vroeg de kikker, terwijl hij omviel van de slaap en met een plons in het water terechtkwam.

De zwaan gaapte, rekte zijn hals uit en zei: 'Hij moet een ander bed hebben.'

Dát was het. De dieren waren het er meteen over eens.

Met z'n allen begonnen ze een bed te bouwen dat zó zacht was en zó warm dat iedereen die erop ging liggen meteen in slaap viel.

Het werd ook een heel licht bed. Het stond niet, het zweefde. Als je er zachtjes tegenaan zou blazen, zou het wegzweven.

'Waar zou het dan heen zweven?' vroeg de schildpad.

'Dat is van later zorg,' zei de krekel.

'O,' zei de schildpad. Hij kuchte even en vroeg verder niets.

Na enkele uren was het bed klaar.

Die avond brachten ze het naar de olifant.

'Een bed!' riep de olifant.

'Ja,' zeiden de dieren.

'Voor mij?' vroeg de olifant verbaasd. 'Speciaal voor mij?'

'Voor jou,' zeiden de dieren.

De olifant bedankte hen uitvoerig, stapte in het bed en viel onmiddellijk in slaap. De tor keek even over de rand om te zien hoe de olifant lag, viel voorover en sliep ook onmiddellijk in.

46

Toen blies de krekel zachtjes tegen het bed.

'Sst,' zei hij.

Het bed zweefde weg, klom schuin omhoog en verdween over de bomen. Langzaam stierf het snurken van de olifant en de tor in de verte weg.

Met grote ogen keken de dieren het bed na. 'Waar gaat het nu heen?' vroeg de schildpad.

'Dat is toch van later zorg,' zei de krekel.

'O ja,' zei de schildpad. 'Dat is waar ook.' Hij was blij dat hij een schild had waar hij onder kon kruipen, zodat niemand kon zien dat hij zich schaamde en zijn hoofd schudde over zichzelf.

Op een avond schreef de beer een brief aan de dieren:

Beste dieren,
Ik kan niet slapen.
Dat is een verschrikking.
Ik heb heel lang nagedacht en de
oorzaak is mijn bed.
Zouden jullie een ander bed voor mij
willen maken?
Ik wil een bed van honing, met spijlen
van gesuikerde kastanjes, een matras
van room, en een heel zoet kussen.
Wat denken jullie? Zouden jullie dat kunnen?
Het is maar voor één nacht,
voorlopig.
Ik ben benieuwd. Ik hoop dat jullie weten
wat een verschrikking is.
De beer

De volgende avond sliep de beer in zo'n bed. De dieren wreven zich in hun handen en zeiden tegen elkaar: 'Wat slaapt de beer nu heerlijk!'

De sterren flonkerden, terwijl de geur van honing en gesuikerde kastanjes langzaam door het bos kringelde, en de beer, zonder het te merken, maar wel met grote vastberadenheid, in het diepst van zijn slaap zijn eigen bed opat.

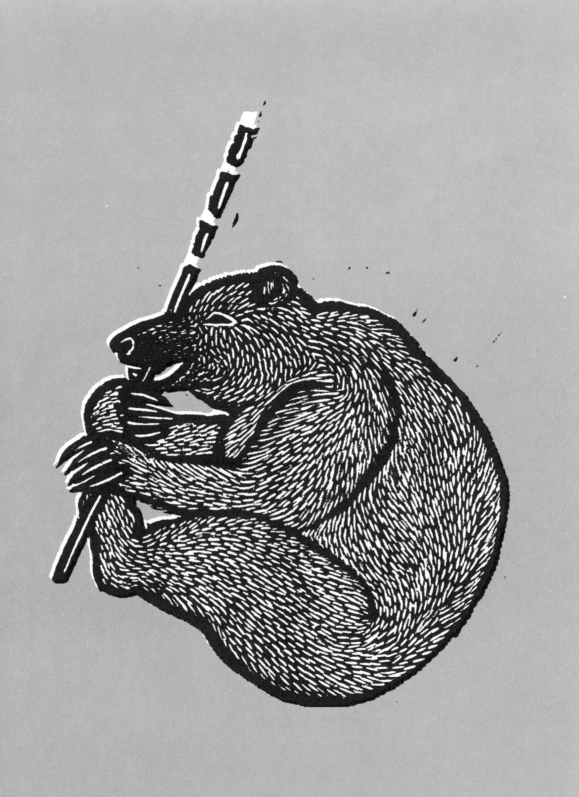

TOEN DE DIEREN HOORDEN DAT DE EEKHOORN WEER EENS niet kon slapen wilden ze hem allemaal graag helpen. Een voor een kwamen ze naar hem toe.

De olifant kwam als eerste en gaf de eekhoorn zijn oren.

'Die oren eekhoorn,' zei hij, 'als je op een van die gaat liggen val je meteen in slaap. Let maar op.'

De eekhoorn deed de oren op zijn hoofd, ging op een ervan liggen, wachtte een tijd, maar viel niet in slaap.

'Wat raar,' zei de olifant. 'Maar je mag ze zolang wel houden. Misschien lukt het straks.'

De egel gaf de eekhoorn zijn stekels om zich in op te rollen, maar toen de eekhoorn dat deed sliep hij helemaal niet. 'Au,' riep hij. Nog nooit was hij zo wakker geweest.

'Wat onbegrijpelijk,' zei de egel, die altijd meteen insliep als hij zich in zijn stekels oprolde.

De schildpad gaf de eekhoorn zijn schild. 'Voor één nacht,' zei hij. De eekhoorn ging onder het schild liggen. Hij sluimerde wel, maar hij sliep niet.

'Ik sluimer,' riep hij van onder het schild.

'Ja,' zei de schildpad, die het koud kreeg. 'Daar begin ik ook altijd mee.'

Na een tijdje zei de eekhoorn: 'Ik sluimer nog steeds.'

'Geef dan maar terug,' zei de schildpad, wit en rillend.

De giraffe gaf de eekhoorn zijn steeltjes. 'Ik weet niet waarom,' zei hij, 'maar met die steeltjes slaap ik toch zó heerlijk, eekhoorn...'

Maar met die steeltjes op zijn hoofd, boven de oren van de olifant en nog een paar stekels van de egel op zijn rug, lag de eekhoorn klaarwakker onder de beuk in het gras.

De zwaan wilde hem zijn vleugels geven, want vliegend sliep hij het best, de snoek zei dat de eekhoorn zijn huis moest laten onderlopen en dan onder zijn bed moest gaan liggen, het aardvarken raadde langdurig knorren aan, de vlinder zei dat de eekhoorn net zo lang moest fladderen tot hij duizelig werd en dan ergens in het donker moest gaan zitten, en de beer meende dat als je maar lang genoeg doorging met taart eten je altijd in slaap viel. Hij wilde daarbij graag helpen.

Maar niets hielp. De eekhoorn sliep niet. En terwijl het nacht werd hoorde hij overal in de lucht en in de struiken en onder de grond en in het water een zacht gesnurk. Want iedereen sliep. Zelfs de aardworm sliep, en de inktvis en de adelaar en de wandelende tak. Somber en wakker ging de eekhoorn op de grote tak voor zijn deur zitten. Hij keek naar de hemel en zag hoe de maan achter een wolk verdween. Zeker om te gaan slapen, dacht hij bitter.

Toen werd er op zijn schouder getikt.

'Wie is daar?' vroeg de eekhoorn.

'Ik,' zei een stem. 'Het vuurvliegje.'

'Het vuurvliegje?' vroeg de eekhoorn.

'Ja,' zei het vuurliegje. 'Je mag mijn lichtje wel hebben. Als je het eerst aandoet en dan uitdoet, val je vast in slaap.'

De eekhoorn pakte het lichtje.

Plotseling was er niets meer van het vuurvliegje te zien.

'Vuurvliegje!' riep de eekhoorn nog. Maar hij hoorde alleen nog wat geruis en verder niets.

Even later stapte hij in bed. Hij legde de oren, de steeltjes, de stekels en alle andere dingen op de grond. Alleen het lichtje hield hij vast. Het was aan en wierp een zacht schijnsel om zich heen.

De eekhoorn draaide zich op zijn zij, trok zijn staart over zich heen en deed het lichtje uit.

Nog voor hij zijn ogen had kunnen dichtdoen viel hij al in slaap.

Op een dag zei de olifant: 'Ik ga naar de woestijn. En of ik terugkom... ik weet het niet.'

'Waarom?' vroeg de eekhoorn verbaasd.

'Daar heb ik zo mijn redenen voor,' zei de olifant. Hij wreef over zijn hoofd en probeerde voorzichtig met zijn verkreukte slurf achter een oor te krabben.

De eekhoorn zei niets, maakte nog snel een knapzak met zoete beukenschors en eikentakken en bond die op de rug van de olifant vast.

'Dag olifant,' zei hij.

'Dag eekhoorn,' zei de olifant. Hij zag er niet vrolijk uit. Met treurige ogen keek hij nog één keer naar de lamp van de eekhoorn, die zacht heen en weer slingerde in de wind die door de open deur naar binnen woei.

'Nou ja,' zei hij. Toen stapte hij mis en viel naar beneden.

Maar op de grond beet hij op zijn tanden, kreunde niet en liep strompelend weg.

Laat in de middag kwam hij bij de woestijn aan. Hij keek over de enorme lege vlakte uit, knikte, haalde de knapzak van zijn rug, ging tegen een rots zitten en at alles in één keer op. Het was heel veel, en duizelig en opgezwollen rolde hij op de grond en viel in slaap.

De volgende ochtend werd hij wakker en liep hij de woestijn in. Hier ben ik veilig, dacht hij.

Maar plotseling zag hij een boom, middenin de woestijn. Een boom? dacht hij. En ik dacht...

Hij begon te hollen.

'Boom!' riep hij. 'Boom!' Alsof die boom mij hoort... dacht hij schamper. Toch riep hij het en bleef het roepen.

Hij holde zo hard als hij kon, maar hij kwam niet dichter bij de boom. De boom leek ook wel te hollen, steeds voor hem uit.

Het is een wandelende boom, dacht hij. Hij meende dat hij daar wel eens van had gehoord.

'Wandelende boom!' riep hij. 'Wandelende boom!' En na een tijd riep hij: 'Ik wil niet in je klimmen... ben je daar soms bang voor? Echt niet...'

52

Maar het maakte geen verschil. De hele dag holden ze door de woestijn, de olifant en de wandelende boom.

Tegen de avond was de olifant uitgeput. Hij kon ook niet meer roepen, want zijn tong was droog en zijn slurf was kromgetrokken van de hitte. Hij viel op het zand neer en zag hoe de boom in de verte ook stilstond.

Waarom, dacht hij nog. Waarom toch... Toen viel hij in slaap.

Het was een heldere nacht. Ontelbare sterren flonkerden aan de hemel en langzaam klom de maan boven de horizon uit.

Middenin de nacht sloop de boom naar de olifant toe en boog zich over hem heen. De olifant zuchtte in zijn slaap. De boom stopte voorzichtig wat bladeren en wat sappige takken, die hij toch wel kon missen, in de mond van de olifant, ritselde en ruiste even en sloop weer weg.

Toen de olifant de volgende ochtend wakker werd stond de boom weer in de verte. Tot zijn verbazing had de olifant geen honger en geen dorst.

Hij deed één stap in de richting van de boom en zag dat de boom één stap van hem vandaan deed.

Hij schudde zijn hoofd en stond stil.

Toen ging hij naar het bos terug. 'Dag wandelende boom!' riep hij nog, toen hij aan de rand van de woestijn kwam en omkeek. Hij kon de boom nog zien en het was alsof de boom iets terugriep en naar hem wuifde met zijn kruin. Maar dat kan niet, dacht de olifant. Alles kan, maar dat niet.

In de verte zag hij het bos en in het bos de eik en de beuk, die met hun toppen boven de andere bomen van het bos uitstaken. Hij begon te hollen. 'Ik kom eraan,' zuchtte hij, steeds harder hollend.

Het was middenin de nacht. De eekhoorn herinnerde zich dat hij binnenkort jarig was en nog geen verlanglijst had gemaakt.

Hij stond op, maakte een verlanglijst en stuurde die, in het donker, met de wind mee, naar alle dieren.

Verlanglijst.
Slaap, het geeft niet wat voor
slaap. Elk soort is goed.
De eekhoorn

Niet lang daarna was hij jarig.

Het was een warme dag in de zomer en in het begin van de avond kwamen alle dieren naar zijn verjaardag toe met tientallen soorten slaap: zoete slaap, langgerekte slaap, zachte slaap, donkerrode slaap, kronkelige slaap, slaap met stekels, woeste slaap met wilde dromen, korte, gladde slaap die tussen je vingers wegglipte, blauwe slaap, kolossale slaap die bijna niet op te tillen was, donzen slaap en nog veel meer soorten slaap waar de eekhoorn nog nooit van had gehoord.

De ijsbeer kwam met koude, bevroren slaap, de zwaluw met snelle, luchtige slaap en de mier met een klein doosje met geheimzinnige slaap voor bijzondere gelegenheden. De olifant kwam met grote slaap die telkens wegrolde zodat de olifant hem achterna moest hollen en 'Hola!' moest roepen, en de secretarisvogel schreef een brief met slaap die de eekhoorn 's avonds pas mocht lezen, anders zou hij meteen in slaap zijn gevallen en zou zijn hele feest zijn mislukt.

De eekhoorn legde alle cadeaus op een grote stapel achter de beuk.

Daarna aten ze taart en dansten en vierden feest tot het donker werd.

Een voor een gingen de dieren weer naar huis, de warme zomernacht in.

'Welterusten, eekhoorn!' riepen ze nog.

'Dankjewel!' riep de eekhoorn terug.

Toen de laatste gast vertrokken was tilde de eekhoorn al zijn cadeaus op en klom voetje voor voetje de beuk in. Even later duwde hij met een knie zijn deur open en stapte zijn huis in.

Maar hij struikelde over de drempel en alle soorten slaap vlogen naar binnen en vulden zijn kamer tot in de laden van zijn kasten en tot in de hoeken van zijn plafond. Nog in de deuropening viel de eekhoorn in de grote, grijze slaap die hij van het nijlpaard had gekregen, en sliep tot ver in de volgende ochtend.

Nog nooit had hij zo diep en zo goed geslapen als die nacht, na zijn verjaardag.

Verantwoording:

De linoleumsneden van Mance Post zijn door Barbara van Dongen Tor-
man in kleur bewerkt. Soms heeft ze daarbij andere lino's van Mance
Post bij dierenverhalen van Toon Tellegen gebruikt.

STICHTING NEDERLANDSE
KINDERJURY
2001

ISBN 90 214 8452 8/NUGI 220, 221